DAWN AND DUSK

A DAILY JOURNAL
A LINE IN THE MORNING,
AND ANOTHER AT NIGHT

KNOCK KNOCK.
VENICE, CALIFORNIA

END THE DAY

SUN

MON

TUE

WED

THU

FRI

SAT

DUSK

DAWN

BEGIN THE DAY

SUN

MON

TUE

WED

THU

FRI

SAT

END THE DAY

_____
_____   SUN

_____
_____   MON

_____
_____   TUE

_____
_____   WED

_____
_____   THU

_____
_____   FRI

_____
_____   SAT

DUSK

DAWN

BEGIN THE DAY

SUN

MON

TUE

WED

THU

FRI

SAT

END THE DAY
_____

_____ SUN

_____ MON

_____ TUE

_____ WED

_____ THU

_____ FRI

_____ SAT

DUSK

DAWN

BEGIN THE DAY

SUN

MON

TUE

WED

THU

FRI

SAT

END THE DAY

_____ SUN

_____ MON

_____ TUE

_____ WED

_____ THU

_____ FRI

_____ SAT

DUSK

DAWN

BEGIN THE DAY

SUN

MON

TUE

WED

THU

FRI

SAT

END THE DAY

_____

_____
_____ SUN

_____
_____ MON

_____
_____ TUE

_____
_____ WED

_____
_____ THU

_____
_____ FRI

_____
_____ SAT

_____

DUSK

DAWN

BEGIN THE DAY

SUN

MON

TUE

WED

THU

FRI

SAT

END THE DAY

SUN

MON

TUE

WED

THU

FRI

SAT

DUSK

DAWN

BEGIN THE DAY

SUN

MON

TUE

WED

THU

FRI

SAT

END THE DAY

SUN

MON

TUE

WED

THU

FRI

SAT

DUSK

DAWN

BEGIN THE DAY

SUN

MON

TUE

WED

THU

FRI

SAT

END THE DAY

SUN

MON

TUE

WED

THU

FRI

SAT

DUSK

DAWN

BEGIN THE DAY

SUN

MON

TUE

WED

THU

FRI

SAT

END THE DAY

SUN

MON

TUE

WED

THU

FRI

SAT

DUSK

DAWN

BEGIN THE DAY

SUN

MON

TUE

WED

THU

FRI

SAT

END THE DAY

SUN

MON

TUE

WED

THU

FRI

SAT

DUSK

DAWN

BEGIN THE DAY

SUN

MON

TUE

WED

THU

FRI

SAT

WEEK OF: _____

END THE DAY
_____

_____ SUN
_____

_____ MON

_____ TUE

_____ WED

_____ THU

_____ FRI

_____ SAT

DUSK

DAWN

BEGIN THE DAY

SUN

MON

TUE

WED

THU

FRI

SAT

WEEK OF: _____

END THE DAY
_____

_____ SUN
_____

_____ MON
_____

_____ TUE
_____

_____ WED
_____

_____ THU
_____

_____ FRI
_____

_____ SAT
_____

DUSK

DAWN

BEGIN THE DAY

SUN

MON

TUE

WED

THU

FRI

SAT

END THE DAY

SUN

MON

TUE

WED

THU

FRI

SAT

DUSK

DAWN

BEGIN THE DAY

SUN

MON

TUE

WED

THU

FRI

SAT

WEEK OF: _____

END THE DAY
_____

———————————————————— SUN

———————————————————— MON

———————————————————— TUE

———————————————————— WED

———————————————————— THU

———————————————————— FRI

———————————————————— SAT

DUSK

DAWN

BEGIN THE DAY

SUN

MON

TUE

WED

THU

FRI

SAT

END THE DAY

_____

SUN

MON

TUE

WED

THU

FRI

SAT

DUSK

DAWN

BEGIN THE DAY

SUN

MON

TUE

WED

THU

FRI

SAT

END THE DAY

SUN

MON

TUE

WED

THU

FRI

SAT

DUSK

DAWN

BEGIN THE DAY

SUN

MON

TUE

WED

THU

FRI

SAT

END THE DAY

SUN

MON

TUE

WED

THU

FRI

SAT

DUSK

DAWN

BEGIN THE DAY

SUN

MON

TUE

WED

THU

FRI

SAT

END THE DAY

SUN

MON

TUE

WED

THU

FRI

SAT

DUSK

DAWN

BEGIN THE DAY

SUN

MON

TUE

WED

THU

FRI

SAT

END THE DAY

SUN

MON

TUE

WED

THU

FRI

SAT

DUSK

DAWN

BEGIN THE DAY

SUN

MON

TUE

WED

THU

FRI

SAT

END THE DAY

SUN

MON

TUE

WED

THU

FRI

SAT

DUSK

DAWN

BEGIN THE DAY

SUN

MON

TUE

WED

THU

FRI

SAT

END THE DAY

SUN

MON

TUE

WED

THU

FRI

SAT

DUSK

DAWN

BEGIN THE DAY

SUN

MON

TUE

WED

THU

FRI

SAT

END THE DAY

SUN

MON

TUE

WED

THU

FRI

SAT

DUSK

DAWN

BEGIN THE DAY

SUN

MON

TUE

WED

THU

FRI

SAT

WEEK OF: _____

END THE DAY
_____

_____ SUN

_____ MON

_____ TUE

_____ WED

_____ THU

_____ FRI

_____ SAT

DUSK

DAWN

BEGIN THE DAY

SUN

MON

TUE

WED

THU

FRI

SAT

END THE DAY

_____

_____ SUN

_____

_____ MON

_____

_____ TUE

_____

_____ WED

_____

_____ THU

_____

_____ FRI

_____

_____ SAT

_____

DUSK

DAWN

BEGIN THE DAY

SUN

MON

TUE

WED

THU

FRI

SAT

END THE DAY

SUN

MON

TUE

WED

THU

FRI

SAT

DUSK

DAWN

BEGIN THE DAY

SUN

MON

TUE

WED

THU

FRI

SAT

END THE DAY

SUN

MON

TUE

WED

THU

FRI

SAT

DUSK

DAWN

BEGIN THE DAY

SUN

MON

TUE

WED

THU

FRI

SAT

END THE DAY

SUN

MON

TUE

WED

THU

FRI

SAT

DUSK

DAWN

BEGIN THE DAY

SUN

MON

TUE

WED

THU

FRI

SAT

END THE DAY

_____
_____ SUN
_____

_____
_____ MON

_____
_____ TUE

_____
_____ WED

_____
_____ THU

_____
_____ FRI

_____
_____ SAT

DUSK

DAWN

BEGIN THE DAY

SUN

MON

TUE

WED

THU

FRI

SAT

END THE DAY

_____

_____
SUN
_____

_____
MON
_____

_____
TUE
_____

_____
WED
_____

_____
THU
_____

_____
FRI
_____

_____
SAT
_____

DUSK

DAWN

BEGIN THE DAY

SUN

MON

TUE

WED

THU

FRI

SAT

END THE DAY

SUN

MON

TUE

WED

THU

FRI

SAT

DUSK

DAWN

BEGIN THE DAY

SUN

MON

TUE

WED

THU

FRI

SAT

END THE DAY

SUN

MON

TUE

WED

THU

FRI

SAT

DUSK

DAWN

BEGIN THE DAY

SUN

MON

TUE

WED

THU

FRI

SAT

WEEK OF:

END THE DAY

SUN

MON

TUE

WED

THU

FRI

SAT

DUSK

DAWN

BEGIN THE DAY

SUN

MON

TUE

WED

THU

FRI

SAT

END THE DAY

SUN

MON

TUE

WED

THU

FRI

SAT

DUSK

DAWN

BEGIN THE DAY

SUN

MON

TUE

WED

THU

FRI

SAT

END THE DAY

SUN

MON

TUE

WED

THU

FRI

SAT

DUSK

DAWN

BEGIN THE DAY

SUN

MON

TUE

WED

THU

FRI

SAT

END THE DAY

SUN

MON

TUE

WED

THU

FRI

SAT

DUSK

DAWN

BEGIN THE DAY

SUN

MON

TUE

WED

THU

FRI

SAT

END THE DAY

SUN

MON

TUE

WED

THU

FRI

SAT

DUSK

DAWN

BEGIN THE DAY

SUN

MON

TUE

WED

THU

FRI

SAT

END THE DAY

SUN

MON

TUE

WED

THU

FRI

SAT

DUSK

DAWN

BEGIN THE DAY

SUN

MON

TUE

WED

THU

FRI

SAT

END THE DAY

SUN

MON

TUE

WED

THU

FRI

SAT

DUSK

DAWN

BEGIN THE DAY

SUN

MON

TUE

WED

THU

FRI

SAT

END THE DAY

SUN

MON

TUE

WED

THU

FRI

SAT

DUSK

DAWN

BEGIN THE DAY

SUN

MON

TUE

WED

THU

FRI

SAT

END THE DAY

SUN

MON

TUE

WED

THU

FRI

SAT

DUSK

DAWN

BEGIN THE DAY

SUN

MON

TUE

WED

THU

FRI

SAT

END THE DAY

SUN

MON

TUE

WED

THU

FRI

SAT

DUSK

DAWN

BEGIN THE DAY

SUN

MON

TUE

WED

THU

FRI

SAT

END THE DAY

_____ SUN

_____ MON

_____ TUE

_____ WED

_____ THU

_____ FRI

_____ SAT

DUSK

DAWN

BEGIN THE DAY

SUN

MON

TUE

WED

THU

FRI

SAT

WEEK OF:

END THE DAY

SUN

MON

TUE

WED

THU

FRI

SAT

DUSK

DAWN

BEGIN THE DAY

SUN

MON

TUE

WED

THU

FRI

SAT

END THE DAY

SUN

MON

TUE

WED

THU

FRI

SAT

DUSK

DAWN

BEGIN THE DAY

SUN

MON

TUE

WED

THU

FRI

SAT

END THE DAY

SUN

MON

TUE

WED

THU

FRI

SAT

DUSK

DAWN

BEGIN THE DAY

SUN

MON

TUE

WED

THU

FRI

SAT

END THE DAY

SUN

MON

TUE

WED

THU

FRI

SAT

DUSK

DAWN

BEGIN THE DAY

SUN

MON

TUE

WED

THU

FRI

SAT

END THE DAY

SUN

MON

TUE

WED

THU

FRI

SAT

DUSK

THOUGHTS

THOUGHTS

Created, published, and
distributed by Knock Knock
1635 Electric Ave.
Venice, CA 90291
knockknockstuff.com
Knock Knock is a registered
trademark of Knock Knock LLC

ISBN: 978-168349007-4
UPC: 825703-50234-3

10 9 8 7 6 5 4 3 2 1